Y0-BSM-076

"Je n'ai mendié à personne des yeux pour voir
Je n'ai regardé l'univers qu'à travers mes propres yeux."

Muhammad Iqbāl

Tout mon amour à Hilde,
sans qui ce livre...
ne serait pas ce qu'il est!

Gert

Pour Pascaline Molitor,
petite filleule oubliée...

Rascal

Loi numéro 49 956 du 16 juillet 1949 sur les publications
destinées à la jeunesse : septembre 1992
Dépôt légal : décembre 1993
Imprimé en France par Mame à Tours

SOCRATE

texte de Rascal
illustrations de Gert Bogaerts

PASTEL
l'école des loisirs

Il y a tout juste dix mois que Socrate est né dans la rue.

Quelques semaines après sa naissance, ses parents ont été emmenés à la fourrière. Socrate ne les a jamais revus.
Il a dû apprendre à se débrouiller tout seul.
La vie n'est pas tous les jours facile pour un chiot orphelin.

Les poubelles des meilleures boucheries et des plus grands restaurants sont la chasse gardée d'une bande de chiens plus âgés.
Socrate doit se contenter des déchets qu'ils veulent bien lui laisser.

Chaque soir, Socrate erre dans la ville.
Il a beau pleurnicher à la sortie des cinémas ou poursuivre les derniers promeneurs fatigués en agitant la queue, personne ne veut l'adopter. Seul, la tête lourde de chagrin, il rentre se coucher dans sa petite maison de carton.

Dès l'aube, Socrate parcourt les trottoirs, la truffe au ras du sol
en espérant trouver quelque chose à se mettre sous la dent.
Un jour, il découvre un drôle d'objet dans le caniveau...
Cela ne se mange pas, mais s'adapte parfaitement à son museau.

Quelle étrange impression...

La tête haute, il entre chez le fleuriste.
Et, pour la première fois de sa vie, on ne le chasse pas.
Un chien à lunettes, comme c'est amusant! Les fleurs multicolores et leurs délicats parfums lui font tourner la tête.
Socrate n'en croit pas ses yeux. Toutes ces couleurs l'éblouissent.
Comme jamais auparavant.

Un peu plus loin, Socrate s'arrête à la devanture d'un magasin.
L'étalage est rempli de jouets sans vie. De l'autre côté de la vitrine,
Socrate est heureux d'avoir un cœur qui bat dans sa poitrine.
Il se sent vivant. Comme jamais auparavant.

Socrate continue sa balade jusqu'au parc.
Derrière ses lunettes, il regarde les poissons, prisonniers dans leur bassin de pierre. Lui peut aller où bon lui semble.
Il se sent libre. Comme jamais auparavant.

Le cœur joyeux, Socrate poursuit sa promenade.
Là-haut, une petite musique flotte dans l'air.
Une musique qui donne envie de danser. Socrate s'approche...
"Bonjour le chien", dit le musicien.
"Oh, mais ce sont mes lunettes que tu as sur le bout du museau.
Je les ai perdues ce matin et sans elles, je ne vois plus très bien.
Veux-tu me les rendre, le chien?"
"Non", répond Socrate, "c'est impossible. Grâce à elles,
ma vie est devenue belle. Je ne veux plus m'en séparer."

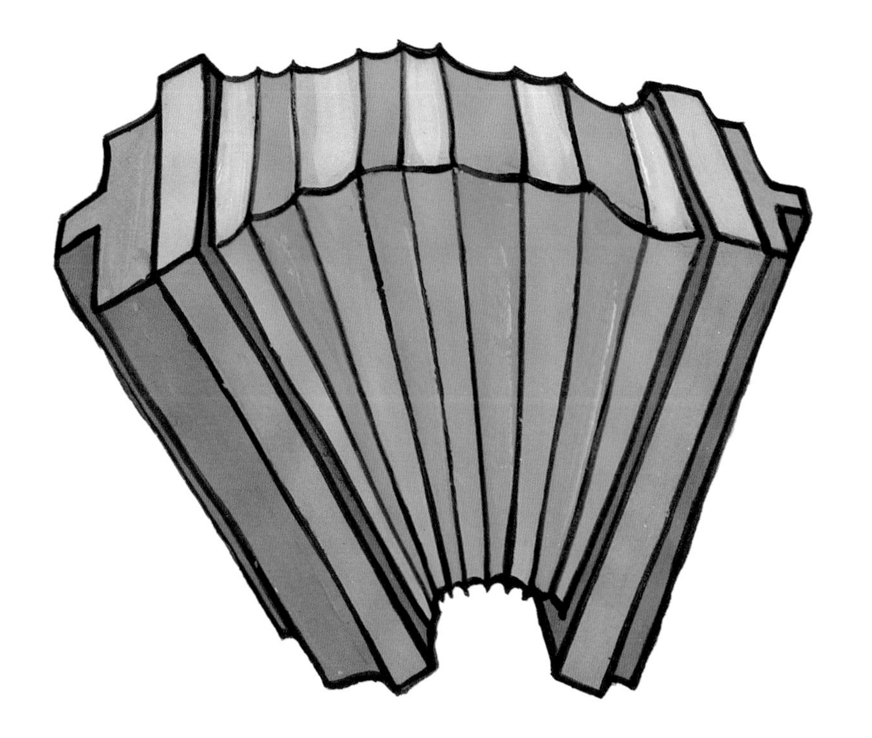

"Mais tu n'as pas besoin de lunettes pour être heureux", dit l'accordéoniste.
"Si, si", répond Socrate... "Avant, tout était gris, tout le monde était méchant avec moi!"
"Je comprends: tu es seul au monde et ta vie n'a pas été rose jusqu'à présent... Écoute, le chien, deviens mon ami, faisons un bout de chemin ensemble. Je pense pouvoir te faire aimer le monde sans lunettes..."
Socrate réfléchit.

Il regarde l'accordéoniste qui lui sourit dans sa barbe blanche.
"Alors, le chien, tu me rends mes lunettes?"
Socrate hésite encore un peu puis fait oui de la tête.
"Viens, mon ami, rentrons à la maison. Un bon dîner nous attend."

Depuis, Socrate n'est plus jamais seul. La vie lui semble belle...
Sans lunettes sur le bout du nez.